在纪念孙中山先生诞辰150周年大会上的讲话

（2016年11月11日）

习　近　平

人民出版社

在纪念孙中山先生诞辰150周年大会上的讲话

（2016年11月11日）

习　近　平

同志们，朋友们：

今天，我们在这里隆重集会，纪念孙中山先生诞辰150周年，缅怀他为民族独立、社会进步、人民幸福建立的不朽功勋，弘扬他的革命精神和崇高品德，激励海内外中华儿女为实现中华民族伟大复兴而团结奋斗。

孙中山先生是伟大的民族英雄、伟大的爱国主义者、中国民主革命的伟大先驱，一生以革命为己任，立志救国救民，为中华民族作出了彪炳史册的贡献。

时代造就伟大人物，伟大人物又影响时代。150年前，孙中山先生出生之时，中国正遭受帝国主义列强的野蛮侵略和封建专制制度的腐朽统治，战乱频发，民生凋敝，中华民族陷入内忧外患的灾难深渊，中国人民处于水深火热的悲惨境地。在那个风雨如晦的年代，中华民族从未屈服，无数仁人志士前仆后继，探求救国救民的道路，进行可歌可泣的抗争。孙中山先生就是他们中的杰出代表。

青年时代，孙中山先生目睹山河破碎、生灵涂炭，誓言“亟拯斯民于水火，切扶大厦之将倾”，高扬反对封建专制统治的旗帜，毅然投身民主革命事业。他创立兴中会、同盟会，提出民族、民权、民生的三民主义，积极传播革命思想，广泛联合革命力量，连续发动武装起义，为推进民主革命四处奔走、大声疾呼。

1911 年，在他领导和影响下，震惊世界的辛亥革命取得成功，推翻了清王朝统治，结束了统治中国几千年的君主专制制度。由于历史进程和社会条件的制约，辛亥革命虽然没有改变旧中国半殖民地半封建的社会性质，没有改变中国人民的悲惨命运，没有完成实现民族独立、人民解放的历史任务，但开创了完全意义上的近代民族民主革命，打开了中国进步闸门，传播了民主共和理念，极大推动了中华民族思想解放，以巨大的震撼力和影响力推动了中国社会变革。

孙中山先生的伟大，不仅在于他领导了辛亥革命，而且在于他为了实现革命理想，与时俱进完善自己的革命理念和斗争方略，毫不妥协同逆时代潮流而动的各种势力进行斗争。他坚决反对军阀分裂割据，坚定维护民主共和制度和国家完整统一。十月革命爆发后，马克思列宁主义传入中国，为孙中山先生认识世界和中国打开了新的视野。中国共产党成立后，孙中山先生同中国共产党人真诚合作，在中国共产党帮助下，把旧三民主义发展为新三民主义，实行联俄、联共、扶助农工三大政策，改组中国国民党，推动北伐战争取得胜利，把反帝反封建的民主革命推向前进。毛泽东同志把三民主义纲领、统一战线政策、艰苦奋斗精神并称为孙中山先生"留给我们的最中心最本质最伟大的遗产"，是"对于中华民族最伟大的贡献"。

孙中山先生为当时中国的积贫积弱痛心疾首，第一个响亮喊出"振兴中华"的口号。他认为，"建设为革命之唯一目的"。他坚信，革命成功以后，经过全民族努力，中国一定能够迎头赶上世界先进国家。他满怀豪情地说："一旦我们革新中国的伟大目标得以完成，不但在我们的美丽的国家将会出现新纪元的曙光，整个人类也将得以共享更为光明的前景"。

孙中山先生为中国人民和中华民族作出了杰出贡献，在中国人民心中享有崇高威望，受到全体中华儿女景仰。今天，缅怀孙中山先生建立的历史功勋，缅怀孙中山先生为中国人民鞠躬尽瘁的光辉一生，我们心中充满着深深的崇敬之情。

同志们、朋友们！

中国共产党人是孙中山先生革命事业最坚定的支持者、最忠诚的合作者、最忠实的继承者。在他生前，中国共产党人坚定支持孙中山先生的事业。在他身后，中国共产党人忠实继承孙中山先生的遗志，团结带领全国各族人民英勇奋斗、继续前进，付出巨大牺牲，完成了孙中山先生的未竟事业，取得新民主主义革命胜利，建立了人民当家作主的中华人民共和国，实现了民族独立、人民解放。在这个基础上，中国共产党人团结带领中国人民继续奋斗，完成了社会主义革命，确立了社会主义制度。

新中国成立 67 年特别是改革开放 30 多年来，在中国共产党领导下，中国人民在社会主义道路上实现了一个又一个伟大飞跃，取得举世瞩目的伟大成就。今天，我们可以告慰孙中山先生的是，我们比历史上任何时期都更接近中华民族伟大复兴的目标，比历史上任何时期都更有信心、有能力实现这个目标。

同志们、朋友们！

我们对孙中山先生最好的纪念，就是学习和继承他的宝贵精神，团结一切可以团结的力量，调动一切可以调动的因素，为他梦寐以求的振兴中华而继续奋斗。

——我们要学习孙中山先生热爱祖国、献身祖国的崇高风范。孙中山先生最大的特点是热爱祖国，一生追求实现民族独立和发展振兴的理想，对此矢志不移、无比坚定。孙中山先生说："做人的最大事情是什么呢？就是要知道怎么样爱国"。他总是以"爱国若命"、"一息尚存，不忘救国"等鞭策自己。孙中山先生具有高度的民族自尊和民族自信，不泥古、不守旧，不崇洋、不媚外，强调"中国的社会既然是和欧美的不同，所以管理社会的政治自然也是和欧美不同"；"发展之权，操之在我则存，操之在人则亡"。他从坎坷人生经历和长期斗争实践中得出一个道理，就是改造中国必须从中国实际出发，走适合中国国情的道路。

古今中外的历史都告诉我们，世界上没有一个民族能够亦步亦趋走别人的道路实现自己的发展振兴，也没有一种一成不变的道路可以引导所有民族实现发展振兴；一切成功发展振兴的民族，都是找到了适合自己实际的道路的民族。今天，我们要开创中华民族伟大复兴新局面，必须大力弘扬伟大的爱国主义精神，坚信中华民族有能力走出一条成功的复兴之路。爱国主义是具体的、现实的。在当代中国，弘扬爱国主义就必须深刻认识到，中国共产党领导和中国社会主义制度必须长期坚持，不可动摇；中国共产党领导中国人民开辟的中国特色社会主义必须长期坚持，不可动摇；中国共产党和中国人民扎根中国大地、借鉴人类文明优秀成果、独立自主实现国家发展的大政方针必须长期坚持，不可动摇。我们要增强中国特色社会主义道路自信、理论自信、制度自信、文化自信，坚定不移沿着中国特色社会主义道路守护好、建设好我们伟大的国家。

——我们要学习孙中山先生天下为公、心系民众的博大情怀。孙中山先生有着深厚的为民情怀，一生坚持以“天下为公”为最高思想境界，致力于“除去人民的那些忧愁，替人民谋幸福”，对此矢志不移、无比坚定。孙中山先生深知人民是最伟大的力量，强调要实现革命的目的，必须唤起民众。他关心民众疾苦，强调“国家之本，在于人民”，“民生为社会进化的重心”，“人民所做不到的，我们要替他们去做；人民没有权利的，我们要替他们去争”。他谆谆告诫大家，“要立心做大事，不要立心做大官”。孙中山先生对人民的深厚感情，是他追求真理、矢志革命的力量源泉，是他奋斗不息、永不言弃的深厚基础。

任何一项伟大事业要成功，都必须从人民中找到根基，从人民中集聚力量，由人民共同来完成。违背人民意愿，脱离人民支持，任何事业都会成为无源之水、无本之木，都是不能成功的。今天，要开创中华民族伟大复兴新局面，我们党就必须始终把全心全意为人民服务作为根本宗旨，始终把人民拥护和支持作为力量源泉，坚持把人民放在心中最高位置。我们要坚持一切为了人民、一切依靠人民，永远保持对人民的赤子之心，永远同人民站在一起，推动改革发展成果更多更公平惠及全体人民，朝着实现全体人民共同富裕的目标不断迈进，把13亿多中国人民凝聚成推动中华民族发展壮大的磅礴力量。

——我们要学习孙中山先生追求真理、与时俱进的优秀品质。孙中山先生眼界宽广、胸襟开阔，一生追求真理、坚持真理，对此矢志不移、无比坚定。世界上没有先知先觉的人物。孙中山先生以“世界潮流，浩浩荡荡，顺之则昌，逆之则亡”为座右铭，善于从实践中学习，包括从失败的教训中学习，因而能够“适乎世界之潮流，合乎人群之需要”。他说：“我一生的嗜好，除了革命外，只有好读书，我一天不读书，便不能生活。”他从不停止探索前进的步伐，从不拒绝修正自己的思想和主张。他总是内审中国之情势，外察世界之潮流，兼收众长，益以新创，努力赶上时代潮流。无论是从社会改良主义者转变为坚定的民主革命者，还是把旧三民主义发展成新三民主义，都体现了他敢于突破局限、不断自我革新的可贵精神。

历史的车轮滚滚向前，跟不上的人必将成为落伍者，必将被历史所淘汰。历史只会眷顾坚定者、奋进者、搏击者，而不会等待犹豫者、懈怠者、畏难者。今天，我们要开创中华民族伟大复兴新局面，就必须树立宏大历史视野，把握世界发展大势，聆听时代声音，勇于坚持真理、修正错误，不断推进理论创新、实践创新、制度创新、文化创新以及其他各方面创新，在时代前进的洪流中书写中华民族发展新篇章。

——我们要学习孙中山先生坚韧不拔、百折不挠的奋斗精神。孙中山先生“致力国民革命凡四十年”，一生坚持“吾志所向，一往无前，愈挫愈奋，再接再厉”，对此矢志不移、无比坚定。孙中山先生说：“以吾人数十年必死之生命，立国家亿万年不死之根基，其价值之重可知。”孙中山先生的革命生涯屡经挫折、备尝艰辛，但为了“造成独立自由之国家，以拥护国家及民众之利益”，他从不因失败而灰心，也从不因困难而退缩，坚信“吾心信其可行，则移山填海之难，终有成功之日；吾心信其不可行，则反掌折枝之易，亦无收效之期也”，坚信只要“精神贯注，猛力向前，应乎世界进步之潮流，合乎善长恶消之天理，则终有最后成功之一日”。任何外来威胁、内部分裂、暂时失败都不能动摇孙中山先生的革命意志，直到卧病弥留之际，他念念不忘的仍是“和平、奋斗、救中国”。孙中山先生以毕生奋斗践行了他的誓言，表现出一个伟大革命者的英雄气概和执着追求。

伟大的事业之所以伟大，不仅因为这种事业是正义的、宏大的，而且因为这种事业不是一帆风顺的。伟大的人物之所以伟大，不仅因为这样的人物为人民、为民族、为人类建立了丰功伟绩，而且因为这样的人物在艰苦磨砺中铸就了坚强意志和高尚人格。今天，我们要开创中华民族伟大复兴新局面，就必须冷静审视深刻复杂变化的国际形势，全面把握艰巨繁重的改革发展稳定任务，进行长期不懈的艰苦努力，什么时候都不要想象可以敲锣打鼓、顺顺当当实现我们的奋斗目标。我们要把责任扛在肩上，时刻准备应对重大挑战、抵御重大风险、克服重大阻力、解决重大矛盾，以不畏艰险、攻坚克难的勇气，以昂扬向上、奋发有为的锐气，不断把中华民族伟大复兴事业推向前进。

同志们、朋友们！

孙中山先生始终坚定维护国家统一和民族团结，旗帜鲜明反对一切分裂国家、分裂民族的言论和行为。孙中山先生说："中国是一个统一的国家，这一点已牢牢地印在我国的历史意识之中，正是这种意识才使我们能作为一个国家而被保存下来。"他强调："'统一'是中国全体国民的希望。能够统一，全国人民便享福；不能统一，便要受害。"

实现祖国完全统一，是中华民族根本利益所在，也是全体中华儿女的共同愿望和神圣职责。确保国家完整不被分裂，维护中华民族根本利益，是全体中华儿女共同意志，是不可阻挡的历史潮流。

两岸同胞是血脉相连的骨肉兄弟。两岸是割舍不断的命运共同体。两岸关系和平发展是维护两岸和平、促进共同发展、造福两岸同胞的正确道路。我们坚持“九二共识”的共同政治基础，深化两岸经济社会融合，增进同胞福祉和亲情。台湾任何党派、团体、个人，无论过去主张过什么，只要承认“九二共识”，认同大陆和台湾同属一个中国，我们都愿意同其交往。

两岸同胞前途命运同中华民族伟大复兴密不可分。两岸同胞以及海内外全体中华儿女要携起手来，共同反对“台独”分裂势力，共同为两岸关系和平发展、实现祖国完全统一而努力，共同创造所有中国人的幸福生活和美好未来。

近代以来，中国经历了长达百余年的国破山河碎、同胞遭蹂躏的悲惨历史，所有中华儿女对此刻骨铭心。维护国家主权和领土完整，绝不容忍国家分裂的历史悲剧重演，是我们对历史和人民的庄严承诺。一切分裂国家的活动都必将遭到全体中国人民坚决反对。我们绝不允许任何人、任何组织、任何政党、在任何时候、以任何形式、把任何一块中国领土从中国分裂出去！

同志们、朋友们！

国家好、民族好，大家才会好。孙中山先生毕生奋斗，就是期盼中国成为“世界上顶富强的国家”、“世界上顶安乐的国家”，中国人民成为“世界上顶享幸福的人民”。孙中山先生希望“发扬吾固有之文化，且吸收世界之文化而光大之，以期与诸民族并驱于世界”。

孙中山先生在从事紧张的革命活动的过程中，一直思考着建设中国的问题。1917 年到 1919 年，他写出《建国方略》一书，构想了中国建设的宏伟蓝图，其中提出要修建约 16 万公里的铁路，把中国沿海、内地、边疆连接起来；修建 160 万公里的公路，形成遍布全国的公路网，并进入青藏高原；开凿和整修全国水道和运河，建设三峡大坝，发展内河交通和水利、电力事业；在中国北部、中部、南部沿海各修建一个世界水平的大海港；大力发展农业、制造业、矿业，等等。孙中山先生擘画的这个蓝图，显示了他对中国发展的卓越见解和强烈期盼。当时，有的外国记者认为孙中山先生的这些设想完全是一种空想，是不可能实现的。

的确，在旧中国的政治经济社会条件下，孙中山先生的这些宏大构想是难以实现的。今天，在中国共产党领导下，在全国各族人民顽强奋斗下，孙中山先生当年描绘的这个蓝图早已实现，中国人民创造的许多成就远远超出了孙中山先生的设想。祖国大地上,铁路进青藏,公路密成网,高峡出平湖,港口连五洋,产业门类齐,稻麦遍地香,神舟遨太空,国防更坚强。孙中山先生致力于建设的独立、民主、富强的国家早已巍然屹立在世界东方。

实践充分说明,只要道路正确、理论正确、制度正确、文化正确,只要坚定不移、坚韧不拔、坚持不懈、艰苦奋斗,朝着伟大目标持之以恒前进,风雨如磐不动摇,我们的目标就能够达到,我们的目标也一定能够达到!

92 年前,孙中山先生这样表述他对中华民族的期盼:“中国如果强盛起来,我们不但是要恢复民族的地位,还要对于世界负一个大责任。”60 年前,毛泽东同志在纪念孙中山先生诞辰 90 周年时指出:“中国应当对于人类有较大的贡献。”30 年前,邓小平同志说:“国家总的力量就大了,可以为人类做更多的事情,在解决南北问题方面可以尽更多的力量。我们就是有这么一个雄心壮志。”中国人民不仅希望自己发展得好,也希望各国都发展得好,希望各国人民都能拥有幸福安宁的生活。我们要推动构建以合作共赢为核心的新型国际关系,推动形成人类命运共同体和利益共同体,始终做世界和平的建设者、全球发展的贡献者、国际秩序的维护者,同世界各国人民一道,共同创造人类和平与发展的美好未来。

5000 多年来,中华民族在自己的发展历程中已经为人类作出了伟大的贡献。未来岁月里，中国人民和中华民族也必将为人类和平与发展的崇高事业不断作出新的更大的贡献！

同志们、朋友们！

孙中山先生当年说："以四百兆苍生之众，数万里土地之饶，因可发奋为雄，无敌于天下。""惟愿诸君将振兴中国之责任，置之于自身之肩上。"孙中山先生在生命的最后时刻仍然嘱咐，革命尚未成功，同志仍须努力。实现中国现代化，实现中华民族伟大复兴，实现全体中国人民共同富裕，我们还有很长的路要走，还有很多困难和风险要去战胜。

我呼吁，所有敬仰孙中山先生的中华儿女，包括大陆同胞、港澳同胞、台湾同胞、海外侨胞，无论党派信仰，无论身在何处，更加紧密地团结起来，把握历史机遇，担当历史责任，把孙中山先生等一切革命先辈为之奋斗的伟大事业继续推向前进！把近代以来一切仁人志士为之奋斗的伟大事业继续推向前进！把近代以来中国人民和中华民族为之奋斗的伟大事业继续推向前进！

图书在版编目(CIP)数据

在纪念孙中山先生诞辰150周年大会上的讲话/习近平 著.—北京：人民出版社,2016.11

ISBN 978-7-01-016984-2

Ⅰ.①在… Ⅱ.①习… Ⅲ.①习近平-讲话②孙中山(1866—1925)-生平事迹-学习参考资料 Ⅳ.①D2-0②K827=6

中国版本图书馆CIP数据核字(2016)第276382号

(RMC-ZJDXI-043-20161111)

在纪念孙中山先生诞辰150周年大会上的讲话

ZAI JINIAN SUN ZHONGSHAN XIANSHENG DANCHEN 150 ZHOUNIAN DAHUISHANG DE JIANGHUA

(2016年11月11日)

习 近 平

人民出版社 出版发行

(100706 北京市东城区隆福寺街99号)

北京新华印刷有限公司印刷 新华书店经销

2016年11月第1版 2016年11月北京第1次印刷

开本:880毫米×1230毫米 1/32 印张:0.5

字数:7千字

ISBN 978-7-01-016984-2 定价:2.00元

邮购地址 100706 北京市东城区隆福寺街99号

人民东方图书销售中心 电话 (010)65250042 65289539